ASMOA

3   3

MAIZTERREN

L A N -

KOADERNOA

NORK

MICHAEL LAURENCE CURZI

2024-03-04   ARGITARATUA

36N9 GENETICS LLC

6 POSTA-KUTXA

CALPINE, CA 96124-0006

AMERIKETAKO ESTATU BATUAK

DEDIKAZIOA

TZADIK HAMOSHIACH-ENTZAT,

LAN-KOADERNO HAU NORENTZAT IZAN ZEN INSPIRAZIO ETA NOREN PRESENTZIA IZUGARRI FALTAN BOTATZEN DUDAN MUNDU HONETAN. MAITATUA ZARA ETA ZURE OROITZAPENA ASKO MAITE DUTE. HAU PLANIFIKATU BEHAR ZENUTEN, AZERI MALTZURRA ZARA ORAIN BELOAREN BESTE ALDEAN ATSEDEN HARTZEN BAZARA ERE. ZURE ATSEDENAK BAKEA EKAR DEZALA TZADIK!!!

DOANAK

DIRUA ESTUA DA GU GUZTIONTZAT. LAN HAU GUSTATZEN BAZAIZU ETA UGARITASUNAREKIN LAGUNTZEN BADU, KONTUAN HARTU ALDAKETA ZATI BAT EMATEA. ESKERRIKASKO ALDEZ AURRETIK! JAINKOAK (GUTXIAGO) BEDEINKATU!!!

VENMO

PAYPAL

AURRERA

BERAZ, HEMEN ZAUDE LIBURU HAU IRAKURTZEN. HAU EZ DA ISTRIPU BAT. AGIAN KATEGORIA HAUETAKO BATEAN SARTZEN DEN BAT ZARA:

+ EZAGUTZEN NAUZU

+ ERANTZUNAK BILATZEN ARI ZARA

+ JAKIN-MINA

+ EDO NI BEZALAKO KANPOTAR BAT ZARA

EDOZEIN KATEGORIATAN SARTZEN ZAREN, EZ DU AXOLA. GARRANTZITSUENA ZURE PENTSAMOLDEA ETA ASMOAK DIRA. ZURE ASMOA LIBURU HAU IRAKURRITA ITXURA POLITA IZATEA BADA, LIBURU HAU EZ DA ZURETZAT. ASMO LANA ZURE BIZITZATIK HARATAGO ONDORIO ZABALAK

DITUEN SOTILA DA; ESPERO DEZAKEZUN POZTASUN BAKARRA AURREAN DUZUN ERREALITATEAN DAGO. HAU EZ DA OSPEA, ZURE ERREALITATEA MOLDATZEA DA. EMAITZAK DIRA BEHAR DUZUEN POZTASUN BAKARRA; EDO, BESTELA, DESADOSTASUN AMAIGABEA IZANGO DUZU! SAKONEAN MURGILTZEKO PREST BAZAUDE, GALDU ORRI HAUETAN. EZ BADUZU MURGILDU NAHI, GALDU, HAU EZ BAITA ZURETZAT!!!

GAINERA LAN-KOADERNO HAU EZ DA KALIFIKATZEN ETA BETETZEA ZURE ONURARAKO DA. MESEDEZ, EGIN AHALIK ETA GONBITA BAKOITZA GUZTIZ OSATZEKO, HORRELA LAN-KOADERNO HONETATIK ETEKINIK HANDIENA ATERAKO BAITUZU ...

ASMOAREN 1 . MAIZTERRA

AXOLA BAZAIZU, AXOLA DU; AXOLA EZ BAZAIZU, EZ DU AXOLA; IRITZIZ ALDATZEN BADUZU, GUZTIZ BESTE KONTU BAT DA.

TENNANT HONEK IKUSPEGI OSO ERREALA IRUDIKATZEN DU ZURE ERREALITATEAREN EGOERA MENTALAREN ARABERA. MATERIA GOGAMENARENA IZAN DAITEKE, SUBSTANTZIA ETA MATERIALA ERE IZAN DAITEKEEN BEZALA. IRITZIA ALDATZEA FUNTSEZKOA DA ZURE

ERREALITATEA ALDATZEKO. JAKINDURIA ZER ALDATU BEHAR DEN ETA ZER UTZI BEHAR ADINA BAKARRIK. HAU EMOZIOEI ETA SENTIMENDUEI ERE APLIKATZEN ZAIE.

ZERRENDATU LAN-KOADERNO HONETAN ZENTRATU NAHI DITUZUN 3 ASMO:

1.

_____

_____

_____

_____

2.

_____

_____

_____

_____

3 .

_____

_____

_____

_____

ZERRENDATU ZURE BIZITZA HOBETZEKO IRITZIZ ALDA DITZAKEZUN 11 GAUZA:

1.

_____

_____

_____

_____

2.

_____

_____

_____

_____

3 .

_____

_____

_____

_____

1 .

_____

5 .

6 .

7 .

8 .

9   .

_____
_____
_____
_____

1   **O**   .

_____
_____
_____
_____

1   **1**   .

_____
_____
_____
_____

ASMOAREN 2. MAIZTERRA

ENERGIA SORTU (+) EDO SUNTSITU (-) EZIN DEN ARREN, HANDITU (X) ETA ZATITU (÷)!

FISIKAREN ETA ASMOEN LANAREN OINARRIZKO TENNANT GISA, ENERGIA EZIN DA SORTU EDO SUNTSITU DEN BEZALA. ENERGIA, BESTALDE, BESTE ADIERAZPEN BATERA PERMUTA DAITEKE INTENTZIOZ EDO MEKANISMOZ ANPLIFIKAZIO PROZESUAREN BIDEZ. HAINBAT ENERGIA MOTA BIDERKATUZ ETA ZATITUZ AKA. ENERGIA FLUXU EZBERDINETAN ZATITUZ. HORREN

ONDORIOA ENERGIAREN DIMENTSIO HORI ALDATZEA DA.

ZERRENDATU 3 EREMU, NON BIZITZARI BURUZKO IKUSPEGIA TXERTATU EDO ALDA DEZAKEZUN, GAUZAK POSITIBOAGOAK IZAN DAITEZEN BAI ZURETZAT BAI INGURUKO MUNDUARENTZAT:

1.

_____
_____
_____
_____

2.

_____
_____
_____
_____

3 .

_____
_____
_____
_____

IDATZI ZURE INDARGUNEEN ETA
AHULGUNEEN BALORAZIO ZINTZOA
ZURE BIZITZA ETA INGURUKOAK
NOLA HOBETU DITZAKEZUN
JAKITEKO. MESEDEZ, IDATZI 2
ORRIALDEKO IDAZLAN GISA ETA
ITZULI BEHAR DEN MODUAN:

ASMOAREN 3 .

MAIZTERRA

ELIKATZEN DUZUNA HAZTEN DA, GOSEA HILTZEN DUZUNA!

TENNANT HONEK ERAKUSTEN DU NOLA ERREALITATEAREN ALDERDI JAKIN BATZUEI ZURE ENERGIA EMATEN BADIEZU, ZURE BARRUAN ETA KANPOAN HAZTEN DIRA ETA ERREALITATEAREN ALDERDI JAKIN BATZUEI ZURE ENERGIA EMATEN EZ BADIEZU ZURE ENERGIA GOSEZ DESAGERTUKO DIRELA. HAU ASMOENTZAT BEZAIN EGIA DA BIZITZA GUZTIETARAKO ETA GURE GAILUETARAKO.

18211

ZERRENDATU 11 ASMO ETA SENTIMENDU ELIKATU ETA HORRELA ZURE IZATEAREN BARRUAN HAZI NAHI DITUZUN:

1.

_____
_____
_____
_____

2.

_____
_____
_____
_____

3 .

_____
_____
_____
_____

4 .

_____

_____

_____

_____

5 .

_____

_____

_____

_____

6 .

_____

_____

_____

_____

7 .

_____

_____

_____

_____

8 .

_____

_____

_____

_____

9   .

_____

_____

_____

_____

1   O   .

_____

_____

_____

_____

1   1   .

_____

_____

_____

_____

ZERRENDATU JADA BALIO EZ
DIZUTEN 11 SENTIMENDU ETA ASMO,
ZURE BAITAN GOSEZ HIL NAHI
ZENUKEENAK IRAGANEAN UZTEKO:

1.

_____

_____

2.

3 .

4 .

5 .

22211

6 .
_____
_____
_____
_____

7 .
_____
_____
_____
_____

8 .
_____
_____
_____
_____

9 .
_____
_____
_____
_____

1 O .
_____
_____

1   1   .

ASMOAREN 4 .

MAIZTERRA

ERLATIBITATEAREN
ALDERANTZIZKOA
(E = M C ^ 2)
SINGULARITATEA DA

24211

1/(E=MC^2)!

GUZTIA SINGULARTASUNAREKIKO ERLATIBOA DA. HORI ESANDA, ERLATIBITATEA SINGULARTASUNAREN ALDERANTZIZKO ADIERAZPENA DA. BIAK ERLATIBITATEA ETA SINGULARITATEA ELKARREKIN INDARTSUENAK DIRA, BEGIRATU BESTERIK EZ DAGO BONBA ATOMIKOARI; ORAIN KONTURATU ZURE PENTSAMENDUEK ETA ASMOEK BEZAINBESTE INDAR IZAN DEZAKETELA!

MESEDEZ, ZERRENDATU ZURE ERABAKIAK HARTZEKO PROZESUAN ERAGIN ERLATIBOA DUTEN 11 GAUZA:

1.

_____

_____

_____

_____

2.

_____

_____

_____

_____

3   .

_____

_____

_____

_____

4   .

_____

_____

_____

_____

5   .

_____

_____

_____

_____

6   .

_____

_____

_____

_____

7 .

_____

_____

_____

_____

8 .

_____

_____

_____

_____

9 .

_____

_____

_____

_____

1 **0** .

_____

_____

_____

_____

1   1   .

_____

_____

_____

_____

MESEDEZ, IDATZI 2 ORRIALDEKO
IDAZLAN BAT ZURE EGUNEROKO
BIZITZAKO KONTZEPTU GISA
ERLATIBITATEAREN   ETA
SINGULARITATEAREN ARTEKO
MEKANIKARI BURUZKO ZURE
PENTSAMENDUAK ADIERAZIZ,
GOGORATU HAU EZ DELA
KALIFIKATUTA, HAU ZURE
PENTSAMENDUAK LANTZEN
LAGUNTZEKO DA:

_____

_____

_____

_____

_____

_____

_____

_____

_____

_____
_____
_____
_____
_____
_____

ASMOAREN 5 . MAIZTERRA

PENTSAMENDUAK ALOKATZEN DIRA, EZ, IZAN.

TENNANT HONEK PENTSAMENDUA ISURTZEN DEN INDAR BAT DEN IRUDIKATZEN DU ETA EZ DAUKAGUN EDO EDUKI DEZAKEGUN ZERBAIT. AKASHIC LIBURUTEGIA AKA. EREMU

31211

KUANTIKOA, PENTSAMENDUAREKIN SINTONIZATZEN DUGU IRRATI-MARKAK BEZALA, EZ DUGU PENTSAMENDURIK. PENTSAMENDUAK ETA EMOZIOAK ERABILTZEN DIRA GERO GURE ASMOAK EHUNTZEKO!

MESEDEZ, IDATZI 4 ORRIALDEKO IDAZLAN BAT XEHETASUN ADIERAZGARRIETAN SARTUZ, ZURE PENTSAMENDUAK NOLA MOLDATZEN DITUZUN ETA ZURE BURUA NORA DOAN IBILTZEN DENEAN. HAU PENTSAMENDU-EREDUAK ETA BURUKO SINTAXIA ASMOEKIN NOLA HOBETU JAKITEKO IDEIAK LORTZEN LAGUNDUKO DIZU:

_____
_____
_____
_____
_____
_____

_____
_____
_____
_____
_____

ASMOAREN 6 .

MAIZTERRA

XISMAREN LEGEA: BESTE NONBAIT POSIBLE DENA ERE POSIBLE DA HEMEN, KONTUAN HARTUTA: HORTIK EGITEN DELA BESTE NONBAIT!

INOIZ GALDETU AL DUZU URRUTIKO EKINTZA BELDURGARRIEI BURUZ. MEKANIKA KUANTIKOA. HORRELA FUNTZIONATZEN DU. GURE ERREALITATEA (∞ +1) AUKERETAKO BAT DA . AUKERA HORIEN BARRUAN, EDOZER DA POSIBLE. LABURBILDUZ, ERREALITATE HAU ZURE ASMOEKIN LANTZEKO, BATZUETAN BESTE NONBAITETIK LANDU BEHAR DITUZU. MUNDU ETA ERREINU EZBERDINEK MODU DESBERDINEAN APLIKATZEN DUTE LEGE UNIBERTSALA ETA, BERAZ, ORDENAMENDU EGITURA DESBERDINAK DITUZTE LEGE UNIBERTSAL HORREN APLIKAZIO EZBERDINETAN OINARRITUTA!

IKUSI BESTE ERREALITATE BAT EDONON DAGOEN, BAINA, LURRA. ORAIN ZERRENDATU BERTAN EGIN DITZAKEZUN 11 GAUZA, HEMEN EGIN EZIN DITUZUNAK. IZAN XEHETASUNEKIN DESKRIBATZAILEA ETA ADIERAZGARRIA:

1.

_____
_____
_____
_____

2.

_____
_____

_____

_____

3 .

_____

_____

_____

_____

4 .

_____

_____

_____

_____

5 .

_____

_____

_____

_____

6 .

_____

_____

_____

_____

7   .

_____

_____

_____

_____

8   .

_____

_____

_____

9   .

_____

_____

_____

1   **0**   .

_____

_____

_____

1   **1**   .

_____

_____

_____

_____

ORAIN IKUS EZAZU ZEURE BURUA BESTE LEKU HORRETATIK ANTZEZTUTAKO HEMEN EGITEN DITUZUN GAUZA HORIEK EGITEN. PRAKTIKATU HAU EGUNERO.

ASMOAREN 7 .

MAIZTERRA

EZAREN INDARRAZ, NI NAIZ ORAIN!

DEFINIZIOZ, EZER EZ DA EXISTITZEN. HALA EGINGO BALU, BEREHALA BERE BURUA EZEZTATU ETA, BERAZ, EZER

GEHIAGO BIHURTUKO LITZATEKE. ZERO ABSOLUTU HORRETARA HURBILDU GAITEZKEEN ORAINGO UNEAN DAGO. IRAGANA ETA EZER EZ BOT EXISTITZEN EZ DIRENEZ, ETORKIZUNAREN PROBABILITATEAREN GAINEAN DUGUN BOTERE GUZTIA ORAIN UNEAN DAGO!

SORTU HEMEN ETA ORAIN EGOTEA OZTOPATZEN DIZUTEN 11 ERANSKINEN ZERRENDA:

1.

_____
_____
_____
_____

2.

_____
_____
_____
_____

3   .

_____

_____

_____

_____

4   .

_____

_____

_____

5   .

_____

_____

_____

6   .

_____

_____

_____

7   .

_____

_____

_____

_____

45211

8 .

_____

_____

_____

_____

9 .

_____

_____

_____

_____

1   0 .

_____

_____

_____

_____

1   1 .

_____

_____

_____

_____

ASKATZEKO PREST ZAUDENA
BAKARRIK ERRETZEN DUEN DRAGOI
SAKRATU BATEN SUAREN BIDEZ

46211

ARAZTUTA . JARRI BIHOTZ PIXKA BAT ETA SENTITU BLOKEOAK LURRUNDU ETA DESAGERTZEN DIRELA. PRAKTIKATU HAU EGUNERO BEHAR DUZUN MODUAN.

ASMOAREN 8 . MAIZTERRA

BIDE GUZTIEK EMAITZA BAKARRERA ERAMATEN DUTE!

HARTU HEMEN LABURBILDUTAKO MUNDUKO ERLIJIOAK ADIBIDEZ:

47211

MUNDUKO ERLIJIOAK LABURTUTA

TAOISMOA
BATA ETA BESTEA IKUSTEN DUT; ETA
BATA BESTE BAT DA.

JUDAISMOA
SORKUNTZARI GOGOAN JARTZEN
DIOT, ETA SORTZAILEAK NIRI.

KRISTAUTASUNA
BATASUNA DENAK EZ DU
KONTRAKORIK.

ISLAMA
JAINKO BAT ETA GUZTIAK DAGO;
OSOTASUN HARMONIKO BAT.

ZOROASTRISMOA
IZARRAK BEGIRATZEN DITUT, ETA
GUZTIA NI NAIZ HORREN BARRUAN
ARGITZEN DA.

HINDUISMOA
JAINKO ASKO DAUDE, ETA BAT
JAINKOTIARRA.

BUDISMOA
ISILTASUNEAN, NEURE BURUA AHAZTU ETA IKUSTEN DUT NI NAIZ.

DRUIDISMOA
ELIKATZEN DUDANA NIRE IZAERAN GORPUZTEN DUT.

HERMETISMOA
BARRUAN ETA KANPOAN AURKITZEN DEN EGIA AITORTZEN DUT.

TOTAHMISMOA
ISILTASUNEAN, ALL ESSENCEREKIN BURRUNBA EGITEN DUT; HALA ERE NIREA AHAZTU.

WICCA
JAINKOAREN (DESES)AREN BAITAN SORKUNTZA BESARKATZEN DUT ETA SORTZAILEAREKIN EZKONDUTA NAGO.

SORKUNTZAREN ADIERAZPEN GUZTIEK PATU ETA HELBURU BERA DARAMATE; IZAN ERE, ∞ +1 DEN IZAKI HORREK BERE BURUA MODU POSIBLE GUZTIETAN FORMA POSIBLE GUZTIETAN ESPERIMENTATZEKO.

49211

INFINITUA POSIBLE DENEZ, SORKUNTZAREN BAITAN INFINITU-ADIERAZPIDEAK DAUDE. GAINERA, UNE BAKOITZEAN ELKARREKINTZA BERRIETATIK SORTUTAKO PENTSAMENDU BERRIAK DAUDENEZ, UNIBERTSOA ETENGABE ZABALDUKO DA.

ZERRENDATU 11 MODU ZURE BIZITZAN DENA ELKARREKIN LOTUTA DAGOEN. SARTU XEHETASUN ADIERAZGARRIETARA:

1.

_____

_____

_____

_____

2.

_____

_____

_____

_____

3 .

_____

_____

_____

_____

4 .

_____

_____

_____

_____

5 .

_____

_____

_____

_____

6 .

_____

_____

_____

_____

51211

7   .

_____

_____

_____

_____

8   .

_____

_____

_____

_____

9   .

_____

_____

_____

_____

1   **0**   .

_____

_____

_____

_____

1   **1**   .

_____

_____

_____

_____

PENTSA EZAZU ADIERAZI NAHI DUZUN ASMO BAT, ONDOREN IDATZI BERRI DITUZUN INTERKONEXIOAREN 11 MODALITATE GUZTIAK ETA IDATZI 2 ORRIALDEKO IDAZLAN BAT, IDATZI BERRI DITUZUN 11 ALDERDI GUZTIAK ASMO BAKAR BATEAN BIHURTZEN DITUENA:

_____
_____
_____
_____
_____
_____
_____
_____
_____
_____
_____
_____
_____
_____
_____
_____
_____

_____
_____
_____
_____
_____
_____
_____
_____
_____
_____
_____
_____
_____
_____
_____
_____
_____
_____
_____
_____
_____
_____
_____
_____

ASMOAREN 9 . MAIZTERRA

0 1 2 4 8 16 32 64 ETA EZ
0 1 2 3 4 5 6 7 8 9!

UNIBERTSOAK BALIO EZ-LINEAL ESPONENTZIALETATIK ETA EZ BALIO LINEAL SEKUENTZIALETATIK FUNTZIONATZEN DU. KONPONDU AKATS HAU GURE PENTSAMENDU-PROZESUAN ETA AUKERA BERRI INFINITUETATIK HARATAGO ZABALTZEN ZAIZKIGU. EMAN AL DEZAKEZU JAUZI KUANTIKO HAU?

ZERRENDATU EGUNEROKO BIZITZAN IKUSPUNTU LINEALETIK

ESPONENTZIALERA MOLDA DITZAKEZUN 11 PENTSAMOLDE:

1.

_____
_____
_____
_____

2.

_____
_____
_____
_____

3   .

_____
_____
_____
_____

4   .

_____
_____

_____
_____

5 .
_____
_____
_____
_____

6 .
_____
_____
_____
_____

7 .
_____
_____
_____
_____

8 .
_____
_____
_____
_____

9   .

_____

_____

_____

_____

1   0   .

_____

_____

_____

_____

1   1   .

_____

_____

_____

_____

ORAIN IDATZI 3 ORRIALDEKO EZARPEN-PLAN BAT PENTSAMENDU-ERAIKUNTZA ESPONENTZIALAK ERABILTZERA EGOKITZEKO ETA PENTSAMENDU-ERAIKUNTZA LINEALAK ATZEAN UTZI:

_____

_____

59211

ASMOAREN 10.

MAIZTERRA

KASU GUZTIETAN, GUTXI GORABEHERA, NAHI DUZUN TALDEAREN ERRO KARRATUA BENETAN BILATZEN ARI ZARENA DA!

TENNANT HONEK EGIA ESTATISTIKO BAT IRUDIKATZEN DU, PERTSONA TALDE BATEN BARRUAN EMANDAKO

62211

EDOZEIN ZENBAKI DEMOGRAFIKO NAHI DEN TALDE OSOKO PERTSONA GUZTIEN ERRO KARRATUA DELA. PRINTZIPIO HONEK ERREALITATEAREN IZAERA ESPONENTZIALAREKIN JOKATZEN DU. ERREALITATEAREN IKUSPUNTU ORDINALAK BABES FALTSU BAT EZKUTATZEN DU!

IDATZI PARTE AKTIBO ZAREN 3 AZPITALDE ETA TALDE OSOKO BIZTANLERIA GUZTIRAKO PERTSONA KOPURUA ERE:

1.

_____

_____

_____

_____

2.

_____

_____

_____

_____

3.

_____
_____
_____
_____

ORAIN ATERA KALKULAGAILUA ETA HARTU TALDE OSOAREN TAMAINAREN ERRO KARRATUA ETA ALDERATU AZPITALDEEN TAMAINAN ZEHAZTU DUZUN JENDE KOPURUAREKIN. BA AL DAGO KORRELAZIORIK? IDATZI HEMEN ZURE ERANTZUNAK:

1.

_____
_____
_____
_____

2.

_____
_____
_____
_____

3.

_____
_____
_____
_____

ASMOAREN 11.

MAIZTERRA

ERREALITATE PARALELO
BATERA GURUTZATZEKO,
LEHENIK ETA BEHIN ZURE

EGUNGO POSIZIOAREKIKO PERPENDIKULARRA DEN BIDE BAT ZEHARKATU BEHAR DUZU!

TENNANT HONEK DIMENTSIO PARALELO BATERA JOATEKO, LEHENIK DIMENTSIO PERPENDIKULAR BATETIK ZEHARKATU BEHAR DUZULA IRUDIKATZEN DU. 90 ETA 270 GRADU BETI ZUREKIN PERPENDIKULARRA DA. ZIENTZIA FIKZIOAN UNIBERTSO PARALELOEZ HITZ EGITEN DUTE , BIDEGURUTZE PERPENDIKULARRARI OHARTZEA AHAZTU ZITZAIELA USTE DUT; ZIUR NAGO AKATS ZINTZOA .

ZERRENDATU ESPERIMENTATU
NAHIKO ZENUKETEN 3 ERREALITATE
PARALELO:

1.

_____
_____
_____
_____

2.

_____
_____
_____
_____

3.

_____
_____
_____
_____

ZERRENDATU ERREALITATE PERPENDIKULARRA ZEHARKATZEKO EGIN BEHAR DITUZUN 3 AUKERAK 3 ERREALITATE PARALELO HORIETARA IRISTEKO:

1.

_____
_____
_____
_____

2.

_____
_____
_____
_____

3.

_____
_____
_____
_____

ASMOAREN 1 2 .
MAIZTERRA

UNIBERTSOARI EUSTEN
DION KOLA
PENTSAMENDUAREN,

GOGOAREN ETA ASMOAREN PRESENTZIA DA!

MAILA AZPIKUANTIKOAN, MATERIA GUZTIA GURE PENTSAMENDUEK, GURE ADIMENEK OSATZEN DUTEN ETA GURE ASMOEK MOLDATZEN DUTEN KOLA MAGNETIKO ARGI BATEN BIDEZ EUSTEN DA. 3 POSTULATU HAUEKIN ERREALITATEA ZURE GOGOAREKIN BIRMOLDA DEZAKEZU!

ZERRENDATU ERREALITATE BIHURTU NAHI DITUZUN 11 ASMO:

1.

_____
_____
_____
_____

2.

_____
_____

_____

_____

3 .

_____

_____

_____

_____

4 .

_____

_____

_____

_____

5 .

_____

_____

_____

_____

6 .

_____

_____

_____

_____

7 .

_____

_____

_____

_____

8 .

_____

_____

_____

_____

9 .

_____

_____

_____

_____

1 O .

_____

_____

_____

_____

1 **1** .

_____

_____

_____
_____

IDATZI NOLA AGERTUKO DITUZUN 11 GAUZA HORIEK:

1.

_____
_____
_____
_____

2.

_____
_____
_____
_____

3   .

_____
_____
_____
_____

4   .

_____

74211

_____
_____
_____

5   .
_____
_____
_____
_____

6   .
_____
_____
_____
_____

7   .
_____
_____
_____
_____

8   .
_____
_____
_____
_____

9   .

_____

_____

_____

_____

1   O   .

_____

_____

_____

_____

1   1   .

_____

_____

_____

_____

Asmoaren 13. Maizterra

Maitasunaren benetako izaera betiko bizitza da, gorrotoaren benetako izaera autosuntsitzea baita!

Maitasunak bere burua gordetzen eta iraunarazten du. Horrek bizitza sortzen du. Gorrotoak eta beste emozio negatiboak beren burua suntsitzea baino ez dute bilatzen, sorkuntzaren alderdi guztiak errealitate bakarrekoak baitira.

77211

ZERRENDATU MAITE DITUZUN 11 PERTSONA LEKU EDO GAUZA:

1.

_____
_____
_____
_____

2.

_____
_____
_____
_____

3 .

_____
_____
_____
_____

4 .

_____
_____

_____

_____

5 .

_____

_____

_____

_____

6 .

_____

_____

_____

_____

7 .

_____

_____

_____

_____

8 .

_____

_____

_____

_____

9 .

_____
_____
_____
_____

1 0 .

_____
_____
_____
_____

1 1 .

_____
_____
_____
_____

ZERRENDATU ORAIN MAITE ZAITUZTEN 11 PERTSONA, LEKU EDO GAUZA:

1.

_____
_____

_____

_____

2.

_____

_____

_____

_____

3 .

_____

_____

_____

4 .

_____

_____

_____

5 .

_____

_____

_____

_____

6 .

_____

_____

_____

_____

7 .

_____

_____

_____

_____

8 .

_____

_____

_____

_____

9 .

_____

_____

_____

_____

1 O .

_____

_____

_____

_____

1   1   .

_____

_____

_____

_____

ORAIN IDATZI PARAGRAFO BAT HONEK ZURETZAT ZER ESAN NAHI DUENARI BURUZ:

83211

ASMOAREN 14.

MAIZTERRA

ENERGIAREN SEKUENTZIA NATURA DA ENERGIAREN PRESENTZIA ELIKATZEA BAITA!

ENERGIA-MASA BATEN EREDUAK BERE IZAERA SORTZEN DU EMATEN ZAION PRESENTZIAK ELIKATZEN DUEN HEINEAN. ORAIN APLIKATU PRINTZIPIO HAU ZURE BURUAN ETA BIHOTZEAN ETA KONTUAN HARTU ZEIN EREDUK ERREFORMA BEHAR

DUTEN BARNEAN JOAN NAHI DUZUN LEKURA IRISTEKO.

IDATZI 5 ORRIALDEKO IDAZLAN BAT ADIERAZIZ ZURE BIZITZAN ERABILTZEN DITUZUN EREDUAK FUNTZIONATZEN DUTENAK ETA FUNTZIONATZEN EZ DUTENAK ETA NONDIK AURRERA ZURE PRESENTZIA BIDERATUKO DUZUN EFEKTU POSITIBOAGOAK SORTZEKO:

_____

_____

_____

_____

_____

_____

_____

_____

_____

_____

_____

_____

_____

_____

_____

_____

_____

_____

88211

_____
_____
_____
_____
_____
_____
_____
_____
_____
_____
_____

ASMOAREN 15.

MAIZTERRA

PENTSATZEN BADUZU, EXISTITZEN DA; BESTERIK EZ DA ZERTAN HEMEN!

91211

AUKERA GUZTIAK ALDI BEREAN EXISTITZEN DIRA. AUKERA HORIETAKO ASKO BESTE NONBAIT DAUDE. HEMEN EXISTITZEN EZ DIRENEZ, EZ DITU GUTXIAGO ERREAL BIHURTZEN! ORAIN APLIKATU ZISMAREN LEGEA HONI ETA URREA DUZU!

IDATZI 4 ORRIALDEKO IDAZLAN BAT ZURE IRUDIMENA NOLA ERABILTZEN DUZUN, IRUDIMENAK ZER ESAN NAHI DUEN ZURETZAT ETA NOLA IMAJINA DITZAKEZUN BIZITZAKO EMAITZA POSITIBOAGOAK:

_____

_____

_____

_____

_____

_____

_____

_____

_____

_____

_____

_____

_____

_____

_____

_____

_____

_____

_____

_____

_____

_____

_____

_____

_____

_____

_____

_____

_____

_____

_____

_____

_____

_____

_____

_____

_____

_____

_____

_____

_____

_____

ASMOAREN 16. MAIZTERRA

MAIZTASUNA SORKUNTZA TARTEA DA, TEMPOA BERE ERRITMOA BAITA!

MAIZTASUNA DA ENERGIA BAT ZENBATEKO MAIZTASUNA GERTATZEN DEN, BERE ERRITMOAK OSOTASUNAREKIN DITUEN ELKARREKINTZAK ZEHAZTEN BAITITU. MAIZTASUNA AGERRALDIAREN FUNTSA DA TEMPOA BERE

ELKARREKINTZEN ERRITMOA BAITA. TEMPO-K ZEHAZTEN DU ELKARRERAGINAK DIRELA MAIZTASUNAK NORTASUNA ALDERDI HORI ZEHAZTEN DUEN BEZALA. MAIZTASUNA ELEKTRIKOA DA, TEMPOA MAGNETIKOA BAITA. BIAK GAUZA BERAREN 2 ALDERDI EZBERDIN DIRA. ADIBIDEZ, HONA HEMEN DNAN NUKLEOTIDOEN MAIZTASUNA ETA ERRITMOA:

ADENINA 545,6 HZ 127,875 BPM

TIMINA 543,4 HZ 127,359375 BPM

GUANINA 550 HZ 128,90625 BPM

ZITOSINA 537,8 HZ 126,04875 BPM

GOIAN ESAN BEZALA TEMPO-ABIADURA EGOKIAN MAIZTASUN HAUEK ERAGIN HANDIA IZAN DEZAKETE INTENTZIO LANETAN.

KONTUAN IZAN ESNE BIDERAKO ZENTRO GALAKTIKOAREN MAIZTASUNA ETA TEMPOA ERE:

154,15 HZ 144 BPM.

MUSIKA HORRETARA BIHURTZEKO, ADIBIDEZ, ALDATU TONUA 440 HZ-TIK 154,15 HZ-RA ETA BIZKORTU 144/120 EDO 1,2 ALDIZ AZKARRAGO BIDERKAGAIAREKIN ETA ZURE MUSIKA KOSMIKO BIHURTUKO DA. HAU ASMOEI ERE APLIKATZEN ZAIE, MODU BEREAN FUNTZIONATZEN BAITUTE.

BESTE MAIZTASUN ETA TEMPO AIPAGARRI BATZUK HONAKO HAUEK DIRA:

LURRA

EGUN SINODIKOA 194.18HZ 91 BPM

SINDERIC EGUNA 194,71 HZ 91,3 BPM

LURRAREN URTEA 136,10 HZ 127,6 BPM

URTE PLATONIKOA 172,06 HZ 80,6 BPM

ILARGIA

SINODOA. ILARGIA 210,42 HZ 98,6 BPM

SIDER MOON 227,43 HZ 106,6 BPM

AMAIERA 187,61 HZ 89,7 BPM

METONIKOA 229,22 HZ 107,4 BPM

SAROS 241,56 HZ 113,2 BPM

APSIDIS 246,04 HZ 115,3 BPM

ILARGI-KORAPILOA 234,16 HZ 109,8 BPM

PLANETAK

EGUZKIA 126,22 HZ 118,3 BPM

MERKURIO 141,27 HZ 132,4 BPM

ARTIZARRA 221,23 HZ 103,7 BPM

MARTE 144,72 HZ 135,6 BPM

JUPITER 183,58 HZ 172,1 BPM

SATURNO 174,85 HZ 138,6 BPM

URANO 207,36 HZ 97,2 BPM

NEPTUNO 211,44 HZ 99,1 BPM

PLUTON 140,64 HZ 65,9 BPM

ZERRENDATU EZAGUTZA HAUEK APLIKATZEKO 11 MODU:

1.

_____
_____
_____
_____

2.

_____
_____
_____
_____

3   .

_____
_____
_____
_____

4   .

_____
_____
_____
_____

5   .

_____
_____
_____
_____

6   .

_____
_____

_____

_____

7   .

_____

_____

_____

_____

8   .

_____

_____

_____

9   .

_____

_____

_____

_____

1   O   .

_____

_____

_____

_____

1   1   .

_____

_____

_____

ASMOAREN 17.

MAIZTERRA

EGIAK ASKE UTZIKO ZAITU,
EGIAK ERE MINDU EGINGO
ZAITU!

104211

EZER EZ DA IRAINGARRIAGORIK LAUSENGA EZ DEN EGIA BAT BAINO. EGIA MOTA HORREK ESATEN DIGU NON HAZI GAITEZKEEN PERTSONA GISA. IRAINGARRIA DA, GURE BURUARI AURRE EGIN ETA EZKUTATU NAHIKO GENUKEEN ALDERDI BAT AGERIAN UZTEN DUELAKO. HORREN AURREAN ETA ALDAKETA EGOKIAK EGITEA, EGIAK NOLA ASKE UTZIKO GAITU!

ARGITU ETA ZERRENDATU ZURE
BURUARI ALDIAN-ALDIAN ESATEN
DITUZUN 11 GEZUR:

1.

_____
_____
_____
_____

2.

_____
_____
_____
_____

3   .

_____

_____

_____

_____

4   .

_____

_____

_____

_____

5   .

_____

_____

_____

_____

6   .

_____

_____

_____

_____

7   .

_____

_____

8   .

9   .

1   0   .

1   1   .

IDATZI PARAGRAFO BAT ETORKIZUNEAN ZEURE BURUARI GEZURRIK EZ ESATEKO NOLA EZ DUZUN JAKITEKO:

_____

_____

_____

— — — — — — — — — — — — — —

_____

_____

_____

_____

_____

_____

_____

_____

_____

_____

_____

_____

_____

ASMOAREN 18. MAIZTERRA

ENERGIA TXANDAKATZEN DA, NORABIDEA AGINTZEN DU!

JAINKOZKO PRINTZIPIOEN ARTEKO KORRONTE ALTERNOAK GURE ETA GURE ASMOEN ELKARREKINTZAK ZEHAZTEN DITU. KORRONTE ZUZENAK GURE BIZITZAKO IBILBIDEAREN BEKTOREA ZEHAZTEN DU. AC DA ARRETA JARRI BEHAR DUGUN ARAUA. NICOLA TESLAK ARRAZOIA ZUEN OHI BEZALA. AC GURE ERREALITATEAREN ALDERDI MASKULINOAREN ETA

FEMENINOAREN ARTEAN GERTATZEN DA.

ZERRENDATU ZURE EGUNEROKO BIZITZAKO KORRONTE ALTERNOKO 11 ADIBIDE:

1.

_____
_____
_____
_____

2.

_____
_____
_____
_____

3   .

_____
_____
_____
_____

4 .

_____

_____

_____

_____

5 .

_____

_____

_____

_____

6 .

_____

_____

_____

_____

7 .

_____

_____

_____

_____

8 .

_____

_____

_____

_____

9   .

_____

_____

_____

_____

1   O   .

_____

_____

_____

_____

1   1   .

_____

_____

_____

_____

ZERRENDA EZAZU ZURE EGUNEROKO
BIZITZAKO KORRONTE ZUZENEKO 11
ADIBIDE:

1.

_____
_____
_____
_____

2.

_____
_____
_____
_____

3   .

_____
_____
_____
_____

4   .

_____
_____
_____
_____

5   .

_____
_____

_____

_____

6   .

_____

_____

_____

_____

7   .

_____

_____

_____

_____

8   .

_____

_____

_____

_____

9   .

_____

_____

_____

_____

1   0   .

_____

_____

_____

_____

1   1   .

_____

_____

_____

_____

ASMOAREN 1 9 .

MAIZTERRA

ARGIA DENBORA BIDAIA DA
ETA ARGIAK ESPAZIOA ETA

DENBORA GAINDITZEN DITU!

ZERGATIK OKERTZEN DA ARGIAREN ABIADURA DENBORA? IZAN ERE, BERE IZAERAGATIK, ARGIAK DENBORAN ZEHAR BIDAIATZEN DU ETA, ONDORIOZ, DENBORA SORTZEN DU. EZ DUZU DENBORARIK, ZUK SORTZEN DUZU. ZENBAT ETA ENERGIA GEHIAGO EMAN INTENTZIO BAT, ORDUAN ETA DENBORA GEHIAGO ESKAINTZEN DIOZU!

ZERRENDATU BISITATU ETA BIZI NAHI DITUZUN 11 TOKI ETA TOKI:

1.

_____

_____

_____

_____

2.

_____
_____
_____
_____

3 .

_____
_____
_____

4 .

_____
_____
_____

5 .

_____
_____
_____

6 .

_____
_____

_____

_____

7 .

_____

_____

_____

_____

8 .

_____

_____

_____

_____

9 .

_____

_____

_____

_____

1 0 .

_____

_____

_____

_____

1   1   .

_____

_____

_____

_____

ASMOAREN 20. MAIZTERRA

PUNTU BATEK DENBORAN 9 AURREZTEN DITU!

HITZ-FIGURA KLASIKO HONEN ESANAHI KONBENTZIONALETIK HARAGO; ESANAHI SEKRETU BAT DAGO. 9 OSATZE-KOPURUA IZANIK ETA JOSITAKO KATEA KATEEN TEORIAN BEZALAKOA IZANIK, 1 DIMENTSIOKO BEKTOREA KATEA DEN BEZALA; 1 DIMENTSIOKO BEKTOREEN EHUNDURA (9) DA GURE ASMOAK NOLA EHUNDU DAITEZKEEN GURE ERREALITATEA MODU NABARIAN MOLDATZEKO. HARTU BIZITZAREN LOREA EDO FIBONABEN

SEKUENTZIAN EDO PHI ϕ oinarritutako edozein eredu . ONDOREN, ERABILI TOKIEN SARETA BAT ZURE ASMOAK EREDU HORRETAN AINGURATZEKO. ONDOREN, UTZI BERE GRABITAZIO-ZENTROA EDO ZERO PUNTUA BIRA EGITEN, HORRELA, PENTSAMENDUAREN DIMENTSIO BAKARREKO BEKTORE BAT JOKOAN GURE 3D ETA 4D GERTAEREN ESPAZIOAN EDO DENBORA-LERROETAN. HONELA ERAGIN DEZAKEZU ERREALITATEAREN EMAITZA ZURE ADIMENAREKIN. RODIN BOBINAK BEZALAKO UHIN TENTSOREA ETA ESKALAR TEKNOLOGIEKIN ERE OSO ONDO FUNTZIONATZEN DU. EZ AHAZTU N52 ESFERA MAGNETIKOA ZURE RODIN BOBINAREN NUKLEO GISA!

LANDU 20. TENNANT-EN METODOAK
IKUSTEN. ORAIN IDATZI 3
ORRIALDEKO IDAZLAN BAT HAU
EGITEKO METODOA LANTZEN:

_____
_____
_____
_____
_____
_____
_____
_____
_____
_____
_____
_____
_____
_____
_____
_____
_____
_____
_____
_____
_____
_____

_____

_____

_____

_____

_____

ASMOAREN 21.

MAIZTERRA

MARRUSKADURA-KOPURUAREKIKO SPIN ABIADURAK EMAITZA ZEHAZTEN DU.

SORKUNTZAN DENA BIRAKA EGITEN ARI DA GAILU MANIAKO BAT BEZALA. ISILTASUNA GAUZA GUZTIEN BIRAREN ARTEAN AURKITZEN DEN OREKAREN ONDORIOZ SORTUTAKO

126211

ILUSIOA DA. BIRAREN ARDATZA APUR BAT ALDATZEN BADUZU, EMAITZA OSOA ALDATUKO DUZU. HAU ZURI ETA GAUZA GUZTIEI BERDIN APLIKATZEN ZAIE. CHAKRA GUZTIAK ZURE GORPUTZAREN BEKTOREAREN BIRAKETA PUNTUAK DIRA. ZIENTZIAN ELEMENTU ATOMIKO GUZTIEK ERE BEREN BIRA DUTE. GURE PLANETA, GURE EGUZKI SISTEMA, GURE GALAXIA ETA GAUZA GUZTIAK ERE BAI! SPINAREN AXIOMAK ALDATZEAK ERREALITATEAREN EMAITZA OSOA ALDATZEN DU, GAUZA GUZTIEN OREKA ERE ALDATZEN BAITU. GUZTIA SORKUNTZAREN BESTE ALDERDI GUZTIEKIN LOTUTA DAGO. EREMU ENERGETIKO BATEN BIRA ALDATZEAK ERREALITATE OSOA ALDATZEN DU. HAU ZURE BAITAN EDO ZURE KANPOAN EGIN DAITEKE. EMAITZA BERA DA, ALDAKETA ENERGIA-ADIERAZPEN BATETIK BESTERA ALDATZEA KONSTANTE UNIBERTSALA ETA EGUNEROKO BIZITZARAKO ERREALITATEA BAITA.

ALDAKETETARAKO EGOKITZAPENA EPE LUZERA BIZIRAUTEKO EZINBESTEKO BALDINTZA DA!

ZERRENDATU BARNE LANEKO 3 EREMU NON HAIEN SPIN ARDATZA ALDA DEZAKEZUN. IZAN ADIERAZKORRA ETA SARTU XEHETASUNETAN:

1.

_____
_____
_____
_____

2.

_____
_____
_____
_____

3.

_____
_____

ASMOAREN 22. MAIZTERRA

IRUDIMENA BENETAKOA DA, BAINA ORAIN EZ BETI PRESENTE!

IMAJINA DEZAKEZUN EDOZER GAUZA ERREALA DA, HALA ERE, IMAJINATZEN DENA EZ DA BETI APLIKAGARRIA ZURE EGUNGO ERREALITATEARI. JAKINDURIA ALDEA MEREZITZEA DA. JAKITURIA BIHOTZETIK ABIATZEN DA BERE BURUARI ENTZUNEZ, ADIMENAK BERE BURUARI ENTZUNEZ

LURRUNTZEN DUEN BEZALA. EZAGUTU HEMEN ETA ORAIN ETA ERABILI IRUDIMENA ZURE AUKERATUTAKO ETORKIZUNERA BIDERATZEKO. HALA NOLA, ARGITASUNAREN ETA EROMENAREN ARTEKO SOKA ESTUAN IBILIZ, PENTSAMENDU-AZELERAGAILU HONEN IZAERA ETENGABE ALDAKORRAZ JABETUKO ZARA. ERREALITATEA. ERREALA DENA GIZABANAKOAREKIKO ERLATIBOA DA, BAINA ERREALITATEA PARTEKATZEN DENA UNIBERTSALA DA. ERABILI IRUDIMENA TRESNA GISA ETERRA LANTZEKO ZURE PENTSAMENDUEN EHUNDURAREN EREDUAREN ASMOA SORTZEKO. HORRELA FUNTZIONATZEN DU MANIFESTAZIOAK.

ZERRENDATU ZURE ERREALITATEAN
DAUDEN 11 GAUZA EZ DITUZUN
OINARRI GISA ORAINDIK PRESENTE
EZ DAUDEN ASMOAK EKARTZEKO:

1.

_____
_____
_____
_____

2.

_____
_____
_____
_____

3   .

_____
_____
_____
_____

4   .
_____
_____
_____
_____

5   .
_____
_____
_____
_____

6   .
_____
_____
_____
_____

7   .
_____
_____
_____
_____

8   .
_____
_____

_____

_____

9 .

_____

_____

_____

_____

1 0 .

_____

_____

_____

_____

1 1 .

_____

_____

_____

_____

IDATZI SAIAKERA LABUR BAT
ASMOTIK ERREALITATERAKO ZUBIA
NOLA ERAIKIKO DUZUN JAKITEKO:

_____

_____

ASMOAREN 23. MAIZTERRA

KARMA DHARMAREN AUKERAKETA DA BHODIK DHARMAREN BIDEA AUKERATZEN DUEN HEINEAN.

Karma normalean ekintza eta erreakzio gisa ulertzen da. Egintza on batek (+-+) zirkuitu bat agintzen du, hasierako egintza ona + bat baita eta denboran eta edo energian edo baliabideetan kostua - eta horrek onura + itzuliko dizu. Egintza txar batek kontrako (-+-)

ZIRKUITUA AGINTZEN DU. EKINTZA TXARRA - BEREHALAKO POZTASUNA EDO GAIZKI LORTUTAKO IRABAZIA + ETA BERE ZORRA KOBRATZEA ERAGITEN DU -.

DHARMAK KARMA ZEHAZTEN DU DHARMA LITERALKI EGITEN DITUGUN AUKERAK DIRENEZ. GURE AUKERAK GURE KARMAREN EKINTZA ETA ERREAKZIOA ZEHAZTEN DITU!

BHODI ELKARREKIN BILDUTAKO AUKERA MULTZO BAT DA, FINANTZA-TRESNAK ELKARREKIN BILDUTAKO KONTRATUAK DIREN MODUAREN ANTZEKOA. BHODI AUKERA DHARMIKO MULTZO BAT DA, ETA, ALDI BEREAN, GURE EMAITZA ETA EMAITZAK, GURE KARMA, ZEHAZTEN DITU.

IDATZI 3 ORRIALDEKO IDAZLAN BAT
ZURE BURUARI ZURE EGUNEROKO
BIZITZAN KARMA, DHARMA ETA
BHODI-REN EGINKIZUNAK AZALDUZ:

_____
_____
_____
_____
_____
_____
_____
_____
_____
_____
_____
_____
_____
_____
_____
_____
_____
_____
_____
_____
_____
_____
_____

ASMOAREN 24. MAIZTERRA

DENA BIZITZAKOA DA, BIZITZA GUZTIA ZELULEZ OSATUTA DAGO. DESBERDINTASUN BAKARRA GURE BIZITZA ZEIN MAILATAN DAGOEN DA!

KONBINATU BIOLOGIAKO TEORIA ZELULARRA ETA MATEMATIKAKO MULTZOEN TEORIAREKIN ETA IKUSI MULTIBERTSOA BIZITZA KOSMIKO HANDI BAT BEZALA. HORI DA EXISTENTZIAREN IZAERA HOR. GURE

PLANETA DA, BAINA IZAKI KOSMIKOAN
ZELULA BAT, GURE PLANETAKO
ZELULA BAT BAINO EZ DA ETA GURE
OSAERA OSATZEN DUTEN ZELULAK
ERE BADITUGU; INFINITUAZ
HARATAGO (∞ +1) ETA HARAGO
DAGOEN BEZALA. PENTSA INFINITUA
BIZITZA INFINITUAREN 1 MULTZO
GISA ETA GERO KONTUAN HARTU
BIZITZA HORREN MULTZO
INFINITUETATIK HARAGO DAUDELA;
BALIO ENERGETIKOAN BERDINAK,
ORDEA, SEKUENTZIA ENERGETIKOAN
ETA SINTAXIAN DESBERDINAK.
HORRELA DA BIZITZA, AMAIGABEA
ETA LORIATSUA. BIZITZA ∞ +1 ETA ∞
1AREN ∞ DA.

142211

IDATZI SORKUNTZA GUZTIA ORGANISMO BIZIDUN ERRALDOI BAT IZATEAREN 11 ARRAZOI:

1.

_____

_____

_____

_____

2.

_____

_____

_____

_____

3.

_____

_____

_____

_____

4.

_____

_____
_____
_____

5 .

_____
_____
_____
_____

6 .

_____
_____
_____
_____

7 .

_____
_____
_____
_____

8 .

_____
_____
_____
_____

9 .
_____
_____
_____
_____

1 O .
_____
_____
_____
_____

1 1 .
_____
_____
_____
_____

IDATZI IDAZLAN LABUR BAT ZURE
ERANTZUNAK AZALDUZ:

_____
_____
_____
_____
_____
_____

ASMOAREN 25. MAIZTERRA

GOIAN BEZALA, BEHEAN ERE; BEHEAN BEZALA, GOIAN ERE: GURE EGUNGO ERREALITATEA GOIAN ETA BEHEAN ORAINTXE BERTAN ZIGILATZEA DA!

HONEK MEKANIKA KUANTIKOAN ETA PARTIKULEN FISIKAN BIGARREN KUANTIFIKAZIOAREN PRINTZIPIOEI EGITEN DIE ERREFERENTZIA. GIZONEZKOEN TERMINOETAN, GOIKO KOSMIKOAREN SPINA ETA AZPI-KUANTAREN SPINA BATA BESTEAREN BERDINA DA, BAINA ESKALAN

147211

KONTRAKOA. ATOMO BAT IZARRAK BEZAIN URRUN DAGO GURE EGUNEROKO PERTZEPZIOTIK, HALA ERE, ESKALA-NORANZKO KONTRAKOETAN. GOIKO ZEIN BEHEKO BIRA DA ERREALITATEA DEITZEN DUGUN EXISTENTZIA HOLOGRAFIKO HAU EMATEN DUENA. EXISTENTZIA BETI DAGO GOIKO ETA BEHEKO BATEN ARTEAN ETA BERTAN ZAUDEN TOKIAN ZURE INGURUNEAREKIKO ZURE BIRA ENERGETIKOAK ZEHAZTEN DU ORAINGO UNEAN. ORAINTXE EGITEN DUZUN AUKERA BAKOITZAK TXIMELETA EFEKTUAREN ERAGIN OSOA DU, HORI BAITA GURE ETORKIZUNA AUKERATZEKO GURE BOTERE GUZTIA. ZEIN ETORKIZUN AUKERATUKO DUZU ZURE DENBORA-LERRO PERTSONALAREN EMAITZA GISA ZURE AUKERAK, PENTSAMENDUAK ETA EKINTZEK ZEHAZTEN DUTE. ALDAKETA ZURE IZATEAREN BAITAN HASTEN DA ETA NAHI DUZUN ERREALITATEA AGERTZEKO JOKATU BEHAR DA.

IDATZI 3 ORRIALDEKO IDAZLAN BAT,
GOIKO ETA BEHEKO
KORRESPONDENTZIAK ZURE BIZITZAN

149211

NOLA ERAGITEN DUEN ETA ZURE
PENTSAMENDU PROZESUETAN NOLA
JOKATZEN DUEN IRUDIKATUZ:

_____
_____
_____
_____
_____
_____
_____
_____
_____
_____
_____
_____
_____
_____
_____
_____
_____
_____
_____
_____
_____
_____
_____
_____

ASMOAREN 2 6 . MAIZTERRA

DENBORA EZ DA GERTATZEN, ILARGIAREN ARGIRA LORATZEN DEN LOTO BAT BEZALA ZABALTZEN DA.

4. DIMENTSIOKO DENBORA-GERTAERA ESPAZIOA EDO DENBORA ESATEN DIOGUN BEZALA EZ DA GERTATZEN. DENBORA 3D OBJEKTUAK HIGIDURA HELBURU BATERA ZABALTZEA DA. EKITALDI-ESPAZIOA. GERTAERAK ORGANIKOKI GARATZEN DIRA. DESPLEGATZE HORI GIZABANAKO BATEK ETA EDO OBJEKTUEK BIRA

154211

ENERGETIKO BATEK ZEHAZTEN DU. LOTO BATEN LORATZEA 3DKO MARKO FINKOEN SEKUENTZIA BAT DA. PRINTZIPIO HORI BERA DA ZERGATIK FILMEK GERTAERA HORIEK GURE AURREAN GERTATZEN ARI DIRENAREN ILUSIOA EMAN DEZAKETE. PELIKULA BAT DENA MEZU BAT AZALERATZEN DUEN MUGIMENDU-TRAMA BAT IRUDIKATZEN DUTEN GERTAEREN ZATIEI ATERATAKO ARGAZKIEN SEKUENTZIA BAT DA. FILMAK ILUSIO BAT DIRA ETA ISTORIOAREN MORALA EDOZEIN ISTORIO KONTATZEKO HELBURUA DA. TOMEK ILUSIO BERAREKIN FUNTZIONATZEN DU. ZURE ERLOJUKO ORDUA EZ DA EXISTITZEN. TARTE JAKIN BATZUETAN ERREPIKATZEN DIREN ZIKLOETAN ANTOLATUTAKO GERTAERAK DENBORA DEITZEN DUGUNAREN BENETAKO ERREALITATEA DA, HAIN ZUZEN ERE! 3D POSTULATUEN GARAPENA 5D AUKEREN SEKUENTZIAKO 4D

GERTAKARI TENPORALEN BEKTORE BATEN GAINEAN DA NOLA ADIERAZTEN DEN DENBORA MULTIBERTSOAN.

ZERRENDATU ZURE BIZITZAN ESFORTZURIK GABE AZALDU DIREN 11 GAUZA:

1.

_____
_____
_____
_____

2.

_____
_____
_____
_____

3   .

_____
_____

_____

_____

4   .

_____

_____

_____

_____

5   .

_____

_____

_____

_____

6   .

_____

_____

_____

_____

7   .

_____

_____

_____

_____

8 .

_____
_____
_____
_____

9 .

_____
_____
_____
_____

1   O .

_____
_____
_____
_____

1   1 .

_____
_____
_____
_____

IDATZI IDAZLAN LABUR BAT AGERPEN
HAUEK ESFORTZURIK GABE NOLA
GARATU ZIREN AZALDUZ:

159211

ASMOAREN 27. MAIZTERRA

LURRA LAUA DA ETA ALDI BEREAN GLOBO BAT DA.

LUR LAUEN TEORIEK MESPRETXU HANDIRIK EZ DUTE, BAINA EGIA SAKONA DUTE. IZAN ERE, NOLA IZAN DAITEKE LURRA ALDI BEREAN LAUA ETA GLOBO BAT ETA ZERGATIK ATERA DEZAKET ONDORIO BITXI BAT. BA ESANGO DIZUT; 3 DIMENTSIOTAN LURRA GLOBO BAT DA ETA 2 DIMENTSIOTAN LURRA LAUA DA. HARTU ORAIN LURRAREN BIRA OSATZEN DUEN FRAKTALAREN 2 2D ERREPRODUKZIO . FRAKTAL BAT ZERURAKO ETA DESTE DAT

LURRARENTZAT; GOIAN ETA BEHEAN. KONTRAKO NORANZKOETAN BIRAKA EMATEN DUTE. EGIA ESAN, BIEK ISPILU-IRUDIEN SIMETRIAN BIRA BERA DUTE ELKARREN ARTEAN. ZER ZERIKUSI DU HONEK LUR LAU BATEKIN EDO GLOBO BATEKIN? UTZIDAZU ORAIN ESATEN, DENA. 2 FRAKTAL BIRAKARI HORIEN ERDIAN GAUDE ETA 3D ERREALITATEAREN HOLOGRAMA GOIKO ETA BEHEKO 2 ISPILU-IRUDIEN ARTEKO ERRENDATZEA DA; HAU BIGARREN KUANTIZAZIOA DA BERE ONENEAN. BAI LAUA ETA GLOBO BAT BENETAN. HAR DEZAGUN KONTZEPTU HAU URRUNAGO! ORAIN IRUDIKATU DISKO FRAKTAL HORIEN MULTZO OSAGARRIAK BATA BESTEAREN GAINEAN ETA BATA BESTEAREN AZPIAN. DAGOKION BIRA DUTEN 4 DISKOK 4 DIMENTSIO SORTZEN DIZKIOTE GURE ERREALITATEARI, BAI DENBORARI BAI ESPAZIOARI. GEURE BURUAK BORROKAN GEHITZEN DITUGUNEAN AUKERAREN 5.

DIMENTSIOA SORTZEN DUGU, GURE AUKERAK ORAIN GURE AURREAN ZABALDUKO DIREN ETORKIZUNEKO AUKERAK ZEHAZTEN BAITITU. GURE ERREALITATEAREN DISKO FRAKTALEN ARTEKO OREKAN MUNTATZEA, GURE BIRA ENERGETIKOA ALDATUZ, ZURE ETORKIZUNA ZURE DENBORA-LERROAN ERABAKI DEZAKEZU. KONTUAN IZAN ERE PLANETARTEKO ATARIAK ETA HELMUGAKO MUNDUAREN BIRARAKO ATEAK IREKITZEAN, ATARIA ERLOJUAREN ORRATZEN NORANZKOAN EDO ERLOJUAREN ORRATZEN KONTRAKO NORANZKOAN LERROKATU BEHAR BAITA MUNDUEN ARTEKO GARRAIO SEGURUA EGOKITZEKO. HORI EGIN EZEAN MUNDUEN ARTEKO HUTSUNEAN HARRAPATUTA UTZI ZINTEZKE!

IDATZI 5 ORRIALDEKO IDAZLAN BAT, ZURE PENTSAMENDUAK ADIERAZIZ ZURE EGUNEROKO BIZITZAN

DIMENTSIO DESBERDINETAKO ERREALITATE-MAILAK NOLA ELKARRERAGITEN DUTENARI BURUZ:

_____

_____

_____

_____

_____

_____

_____

_____

_____

_____

_____

_____

_____

_____

_____

_____

_____

_____

_____

_____

_____

_____

_____

ASMOAREN 28. MAIZTERRA

CON PRESENTZIA ETA HUTSUNEA DA ESENTZIA BEROA ETA HOTZA BAITA!

CON-PRINTZIPIOA DA PRESENTZIA HUTSA DELA ETA ESPAZIO HUTSA OKUPATZEN DUELA. HIGGS BOSOIA LITERALKI GAUZA BERA DA, ESPAZIO

169211

HUTSA OKUPATZEN DUEN PARTIKULA GARRAIATZEN DUEN INDARRA IZATEAREN GAUZA BERA DA. CON MAGNETISMOAREN ETA MAITASUNAREN PRINTZIPIOA ERE BADA. IKUSTEN DUZU BIHOTZA GARUNA BAINO 100 ALDIZ INDARTSUAGOA DELA ETA GARUNAREN ERDIA. BIHOTZAK GORPUTZAREN MAGNETISMOA SORTZEN DU. ESENTZIA EDO ENERGIA TENPERATURAK ZEHAZTEN DU, HOTZAK ENERGIA SORTZEN DU BEROAK ENERGIA BARREIATZEN DUEN HEINEAN. TENPERATURAREN EREDUAK ESENTZIAREN FUNTZIO ELEKTRIKOAK ETA INFORMAZIO FUNTZIOAK ZEHAZTEN DITU. GARUNA BIHOTZAREN BIKOITZA DA ETA BIHOTZERA 100 ALDIZ IRTEERA GUTXIAGO DU. BURU-PENTSAMENDUAK ETA BIHOTZ-EMOZIOAK ELKARREN ARTEKO ALDERANTZIZKO PROPORTZIOAN DAUDE GURE BIOLOGIAN. BIAK BATERA ERABILI BEHAR DITUGU

GURE ASMOAK AGERTZEKO. BIAK ETA ESENTZIA ELKARREKIN ERABILI BEHAR DIRA ZURE ASMOAK GUZTIZ AGERTZEKO!

ZERRENDATU PRESIOAK ETA TENPERATURAK ZURE EGUNEROKO BIZITZAN FUNTSEZKO EGINKIZUNA DUTEN 11 MODU:

1.

_____
_____
_____
_____

2.

_____
_____

3 .

4 .

5 .

6 .

7   .
_____
_____
_____
_____

8   .
_____
_____
_____
_____

9   .
_____
_____
_____
_____

1   0   .
_____
_____
_____
_____

1   1   .
_____
_____

_____

_____

IDATZI SAIAKERA LABUR BAT EZAGUTZA HAU NOLA APLIKATU NAHI DUZUN JAKITEKO:

_____
_____
_____
_____
_____
_____
_____
_____
_____
_____
_____
_____
_____
_____
_____
_____
_____
_____
_____

ASMOAREN 29. MAIZTERRA

ZU ZARA ZURE OZTOPO BAKARRA!

ZURE BIDEAN OZTOPORIK BADAGO, ZURE BAITAN EGON BEHAR DU LEHENIK. HORI DELA ETA, GARRANTZITSUA DA ZURE ERANTZUNAK BARRURA BEGIRATZEA ETA BARNE-BLOKEO GUZTIAK KONPONDU ETA GARBITZEA, ZURE KANPOKO ERREALITATEAN AURRE EGITEA SAIHESTEKO. LABURBILDUZ, ZURE BARNEKO LANEAN JARRAITZEA GOMENDATZEN DIZUGU GERTAKARI HORREGATIK!

175211

ZERRENDATU 11 ADIBIDE ZURE BIZITZAN NOLA LORTU DUZUN:

1.

_____
_____
_____
_____

2.

_____
_____
_____
_____

3   .

_____
_____
_____
_____

4   .

_____
_____

176211

_____

_____

5 .

_____

_____

_____

_____

6 .

_____

_____

_____

7 .

_____

_____

_____

_____

8 .

_____

_____

_____

_____

177211

9 .

_____
_____
_____
_____

1   O .

_____
_____
_____
_____

1   1 .

_____
_____
_____
_____

ZERRENDATU ETORKIZUNEAN ZURE
BIDEA OZTOPOAK SAIHESTUKO
DITUZUN 11 MODU:

1.

_____
_____

178211

_____
_____

2.

_____
_____
_____
_____

3   .

_____
_____
_____
_____

4   .

_____
_____
_____
_____

5   .

_____
_____

_____

_____

6   .

_____

_____

_____

_____

7   .

_____

_____

_____

_____

8   .

_____

_____

_____

_____

9   .

_____

_____

_____

_____

1 0 .
_____
_____
_____
_____

1 1 .
_____
_____
_____
_____

ASMOAREN 30. MAIZTERRA

MUNDU ASKO ESPAZIOAN ZEIN DENBORAN ZEHAR DAUDE!

ZIENTZIA FIKZIOZKO GENEROAN BEZALA DENBORA-BIDAIA 6. DIMENTSIOKO ETA GORAGOKO ERAIKUNTZA BAT DA. HORI EGITEKO, ESPAZIOAN ETA DENBORAN ZEHAR IGOGAILU BATEN MODUAN JOKATZEN DUEN 6. DIMENTSIOKO DENBORA-ARDATZ BAT IREKI BEHAR DUZU. 6D DENBORA ARDATZAK 5D AUKEREN ETA 4D GERTAEREN ESPAZIO-SEKUENTZIEN MULTZOKO EDOZEIN PUNTUTARA ERAMAN ZAITU. IZARRARTEKO ZIBILIZAZIO ASKO GUREA EZ DEN BESTE GARAI BATEAN DAUDE. HORI DELA ETA, IZARRARTEKO ETA MUNDUKO ZIBILIZAZIO HORIETAKO ASKOTARA BIDAIATZEKO, ESPAZIOAN ETA DENBORAN ZEHAR BIDAIATU BEHAR DUGU. BEREIZKETA GARRANTZITSU BAT DA EZ GARELA BENETAN DENBORAN ATZERA EGITEN, " ATZERA " EGITEN SAIATZEA EZ DA ENERGIA ALFERRIK GALTZEAZ GAIN, ARRISKUTSUA DA NIGROMANZIA GAIZKI GOMENDATZEN DUEN ARRAZOI

BERBERENGATIK SAIATZEA, EZIN DUZULAKO. HILDAKOAK BIZIA ERE EKARRI. JAKIN EZAZU HAU, IRAGANA EZ DA EXISTITZEN ETA HERIOTZA ERE EZ. HONEN ARRAZOIA SINPLEA DA, ENERGIA EZIN DELAKO SORTU EDO SUNTSITU, BAINA ENERGIA BETI FORMA BERRIAK HARTZEKO AUKERA EMATEN DU. HORREGATIK EZ DUZU ATZERA EGITEN, EZTA HILDAKOAK BIZIRAUZTEN ERE. HORREN ORDEZ, AURREKO GERTAEREN SEKUENTZIA BATEAN AURRERA EGIN BEHAR DUZU ETA EDO HILDAKOA ENKARNAZIO BERRI BATERA ERAMAN. ZIURTATU BERPIZTUARENTZAT ONTZI EGOKI BAT ESKURA DUZULA, HORI SAIATZEN BAZARA, ORAINDIK GAIZKI AHOLKATUTA. DENBORA-LERROAREN AURREKO PUNTU BATERA JOATEN BAZARA, HORI DA ZURE ETORKIZUNA, NAHIZ ETA BESTE GUZTIEN IRAGANA IZAN . HORI ESANDA, IRAGANA NAHASTEN BADUZU, ZURE DENBORA-LERROA ETA ETORKIZUNA NAHASTEKO BAINO EZ DUZU BALIO. 6.

DIMENTSIOKO DENBORA-ARDATZ BATEN BIDEZ ESPAZIOAREN ETA DENBORAREN ZEHARKATZE HORI IZAR ARTEKO BESTE ZIBILIZAZIO ETA MUNDUETARA SARTZEKO ERABILTZEN DA HOBEKIEN HARRA ZULO EDO ATARI SISTEMEN BIDEZ. ESPAZIO-ONTZIAK AZKAR BIHURTZEN DIRA DESBERDINTASUN HANDIAK ZEHARKATZEN DITUZTENEAN.

ZERRENDATU BIZITZAN ARAKATU NAHIKO ZENUKEEN DENBORA-ERREALITATEAREN 11 ALDERDI EZBERDIN:

1.

_____

_____

_____

_____

2.

_____
_____
_____
_____

3 .

_____
_____
_____
_____

4 .

_____
_____
_____
_____

5 .

_____
_____
_____
_____

6   .

_____

_____

_____

_____

7   .

_____

_____

_____

_____

8   .

_____

_____

_____

_____

9   .

_____

_____

_____

_____

1   **O**   .

_____

_____

186211

1   1   .

IDATZI ZURETZAKO 2 ORRIALDEKO
IDAZLAN BAT ESPAZIOAK ETA
DENBORAK ZURETZAT ZER ESAN NAHI
DUTENARI BURUZ:

_____

_____

_____

_____

_____

_____

_____

_____

_____

_____

_____

_____

_____

_____

_____

_____

_____

_____

_____

_____

_____

_____

_____

_____

_____

_____

_____

ASMOAREN 31.

MAIZTERRA

ZURE BIBRAZIOA ZURE ANPLITUDEA DA, ZURE MAIZTASUNA ZURE PRESENTZIA MAILA DA!

JENDEAK USTE DU ZURE BIBRAZIOA IGOTZEA ZURE MAIZTASUNA IGOTZEA DELA; EZ DA BATERE KASUA. ZURE MAIZTASUNA SORKUNTZAREN

BIZITZAKO BESTE ALDERDI BATEAN ZENBAT MAIZTASUNAREKIN GERTATZEN ZAREN DA . ZURE BIBRAZIOA ZURE ANPLITUDEA DA, EZ ZURE MAIZTASUNAREN BERDINA. ZURE ANPLITUDEA ZURE PRESENTZIA-IZATEAREN SAKONTASUNA ETA GELDITASUNA ZEIN DEN ZEHAZTEN DA. ZURE BIBRAZIOA IGOTZEA GAUZA ONA DA. ZURE ASMOEI GUSTU GEHIAGO EMATEN DIE. ZURE MAIZTASUNA IGOTZEA NEGARGARRIA IZAN DAITEKE PRESENTZIA AKA EZ BADUZU. MAIZTASUN IGO HORRI EUSTEKO ANPLITUDEA. BESTE ERA BATERA ESANDA, ZURE MAIZTASUNA IGOTZEAK ARGALDU EGIN DEZAKEZU. ZURE BIBRAZIO ANPLITUDEA IGOTZEAK PRESENTZIA ASKOZ INDARTSUAGOA ETA SENDOAGOA EMATEN DIZU, ZURE ASMOAK JARRAITZEKO ETA BURUTZEKO INDAR GEHIAGOREKIN. BOTERE MAGIKO GEHIAGO BETI GAUZA ONA DA NIRE LIBURUAN, LIBURU HAU HITZ JOKO

BAT NAHI BADUZU! HORREGATIK IDATZI ZEN LIBURU HAU, ZURE AURREAN AMPERAJE GEHIAGO GARATZEN LAGUNTZEKO, ZURE ASMOAK MODU ERAGINKORRAGOAN ETA ZEHAZTASUN HOBEAREKIN LANTZEKO.

ZERRENDATU 11 MAIZTASUN-MODALITATE ZURE EGUNEROKO BIZITZAN ETA HORIEN ONDORIOAK:

1.

_____
_____
_____
_____

2.

_____
_____
_____
_____

3 .

_____
_____
_____
_____

4 .

_____
_____
_____
_____

5 .

_____
_____
_____
_____

6 .

_____
_____
_____
_____

7 .

_____
_____

_____

_____

8   .

_____

_____

_____

_____

9   .

_____

_____

_____

_____

1   0   .

_____

_____

_____

_____

1   1   .

_____

_____

_____

_____

ZERRENDATU 11 ANPLITUDE-MODALITATE ZURE EGUNEROKO BIZITZAN ETA HORREK ZUREGAN ETA INGURUKO MUNDU ZABALEAN DITUEN ONDORIOAK:

1.

_____
_____
_____
_____

2.

_____
_____
_____
_____

3   .

_____
_____
_____
_____

4

      .

_____

_____

_____

_____

5

      .

_____

_____

_____

_____

6

      .

_____

_____

_____

_____

7

      .

_____

_____

_____

_____

8

      .

_____

_____

9 .

1 O .

1 1 .

ASMOAREN 32. MAIZTERRA

KONTUZ ESKATZEN DUZUNAREKIN, AGIAN LORTUKO DUZULAKO!

ZERBAIT NAHI DUGUNEAN, EZ DIEGU BETI ERREPARATZEN ESKATZEN DUGUNAREN ONDORIOEI. HORI DELA ETA, AUKERAREN EMAITZA POTENTZIAL GUZTIAK HAUSNARTZEA GOMENDATZEN DIZUGU AUKERA HORI EGITEKO KONPROMISOA HARTU AURRETIK. KONTUAN IZAN EZ BURUGABEKERIA HONETAN ETA BIHOTZ ETA BURUHAUSTE ASKO AURREZTUKO DITUZU. GALDETU NAHI DUZUNA POSITIBOA ALA NEGATIBOA

ALA NEUTROA DEN ETA NORI BURUZ.
IZAN ZUHUR AUKERAK NOLA EGITEN
DITUZUN ETA ZER ASMOTARA
BIDERATZEN DUZUN ZURE ENERGIA.
HORI EGINEZ GERO, BALANTZEA
OKERTU LITEKE ZURETZAKO
BALANTZAREN MAQUINILLAREN
ERTZA BI NORANZKOETAN BIDALTZEN
DIZUNA.

ZEINTZUK DIRA ASMO LANEAN
SAIHESTU BEHAR DITUZUN 6 GAUZA?

199211

1.

_____
_____
_____
_____

2.

_____
_____
_____
_____

3.

_____
_____
_____
_____

4.

_____
_____
_____
_____

5.

_____
_____
_____
_____

6.

_____
_____
_____
_____

ZEINTZUK DIRA ZURE ASMOEI BURUZ GEHITU EDO ALDATU BEHAR DITUZUN 11 GAUZA BERRI?

1.

_____
_____
_____
_____

2.

_____

_____

_____

_____

3 .

_____

_____

_____

_____

4 .

_____

_____

_____

_____

5 .

_____

_____

_____

_____

6 .
_____
_____
_____
_____

7 .
_____
_____
_____

8 .
_____
_____
_____

9 .
_____
_____
_____
_____

1 0 .
_____
_____

_____
_____

1   1   .

_____
_____
_____
_____

ASMOAREN 33.

MAIZTERRA

ALDAKETA ETENGABEA DA
ETA MOLDAGARRITASUNA
ALDAKETA ONURAGARRI
BATERAKO GAKOA. NOLA
ALDA DEZAKET NEURE

BURUA NIRE ERREALITATEA HOBERA ALDATZEKO?

Azkenik, orain filosofia zaharren eta modernoaren arte sekretuaren irakaspen askoz armaturik. Nola erabiliko dituzu ezagutza eta ezagutza horiek zure bizitza eta beste bizitzetan duzun eragina aberasteko eta hobetzeko? Aldaketetara nola moldatzen garen funtsezkoa da gure negozioetan eta harremanetan arrakasta izateko. Bizitza ez da kirol lehiakorra. Bizitza bidaia bat da, non gauza ezberdinek une desberdinetan balioa duten. Burtsaren eta sistema ekonomikoaren antzera, bakoitzak gure ekonomia mental eta emozionala dugu eta denek altuak eta beheak, gora-beherak dituzte. Nola erabili zure

ASMOAK ZURE BIZITZA ETA INGURUKOEN BIZITZA HOBETZEKO. HAU ZUK BAKARRIK ERABAKI DEZAKEZUN ZERBAIT DA. ZORTE ON ZURE BIDAIAN, ETA MAITASUNAGATIK, MESEDEZ, ERABILI INFORMAZIO HAUEK ZENTZUZ!!!

MESEDEZ, IDATZI LAN-KOADERNO HAU OSATU DUZUNEAN ASMO EZBERDINEKIN EGINGO DITUZUN 11 GAUZEN ZERRENDA!

1.

_____

_____

_____

_____

2.

_____

_____

_____

_____

3 .

_____

_____

_____

_____

4 .

_____

_____

_____

_____

5 .

_____

_____

_____

_____

6 .

_____

_____

_____

_____

7   .

_____

_____

_____

_____

8   .

_____

_____

_____

_____

9   .

_____

_____

_____

_____

1   **O**   .

_____

_____

_____

_____

1   1   .

_____

_____

_____

_____

ORAIN, MESEDEZ AMAITU LAN-KOADERNO HAU 3 BAIEZTAPEN POSITIBO IDATZIZ ZURE NAHI DUZUN BIDEAN JARRAITZEKO, EGUNERO GUTXIENEZ 3 ALDIZ ESANGO DITUZUNAK:

1.

_____

_____

_____

_____

2.

_____

_____

3.

JAINKOZKO BEDEINKAPENAK ZUREKIN!

MAITASUN ETA ARGIAREKIN,

BIHOTZEZ,

MICHAEL LAURENCE CURZI

211211

Milton Keynes UK
Ingram Content Group UK Ltd.
UKHW050143170424
441167UK00006B/83